这是我的书
It's MY BOOK

7级：400字

四颗糖

作者：程以克（Vicki Cheng）
插图：冰河插画（Bing He Design）

U0891731

北京语言大学出版社
BEIJING LANGUAGE AND CULTURE UNIVERSITY PRESS

PHOENIX TREE
PHOENIX TREE PUBLISHING INC.

识 读 所有 害怕 按时
应该 教 但是

句 型 ……应该……

字 数 398字

táo xíng zhī zài měi guó gē lún bǐ yà dà xué dú
陶行知在美国哥伦比亚大学读
guo shū huí dào zhōng guó hòu tā xiǎng ràng suǒ yǒu méi jī
过书，回到中国后，他想让所有没机
huì shòu jiào yù de rén dōu néng shàng xué dú shū bù guǎn
会受教育的人都能上学读书，不管
shì dà ren hái shi xiǎo háir tā qīn zì biān xiě shí
是大人还是小孩儿。他亲自编写识
zì kè běn hái zài xiāng cūn bàn qi le jiào shī xué xiào
字课本，还在乡村办起了教师学校。

yǒu yì tiān zài xué xiào tā kàn jiàn yí gè nán
有一天在学校，他看见一个男

shēng zhèng zhǔn bèi yòng ní kuài zá tóng xué tā dà hǎn
生正准备用泥块砸同学，他大喊

yì shēng zhù shǒu zhè ge nán shēng huí tóu yí kàn
一声：“住手！”这个男生回头一看，

xīn xiǎng bù hǎo le bèi xiào zhǎng fā xiàn le
心想：不好了！被校长发现了！

kàn dào xiào zhǎng shēng qì de yàng zi zhè ge
看到校长生气的样子，这个

nán shēng hěn hài pà táo xíng zhī duì tā shuō fàng
男生很害怕。陶行知对他说：“放

xué hòu dào xiào zhǎng shì lái jiàn wǒ
学后到校长室来见我！”

校长室

fàng xué hòu zhè ge nán shēng dī zhe tóu zhàn zài
放学后，这个男生低着头站在
xiào zhǎng shì mén qián xīn xiǎng xiào zhǎng yí dìng huì mà wǒ
校长室门前，心想：校长一定会骂我
de guò le yí huìr táo xíng zhī zǒu guo lai ná
的！过了一会儿，陶行知走过来，拿
chu yì kē táng xiào zhe shuō zhè shì gěi nǐ de yīn
出一颗糖，笑着说：“这是给你的，因
wèi nǐ àn shí lái le dàn shì wǒ chí dào le nán shēng
为你按时来了，但是我迟到了。”男生
chī jīng de jiē guo táng xīn li bú nà me hài pà le
吃惊地接过糖，心里不那么害怕了。

táo xíng zhī yòu ná chu dì èr kē táng fàng
陶行知又拿出第二颗糖，放
zài nán shēng shǒu li zhè yě shì gěi nǐ de yīn
在男生手里：“这也是给你的，因
wèi wǒ bú ràng nǐ zá rén nǐ mǎ shàng jiù zhù shǒu
为我不让你砸人，你马上就住手
le nán shēng gèng jiā chī jīng de kàn zhe táo xíng
了。”男生更加吃惊地看着陶行
zhī bù zhī dào shuō shén me hǎo
知，不知道说什么好。

táo xíng zhī yòu ná chu dì sān kē táng shuō
陶行知又拿出第三颗糖，说：
wǒ zhī dào nǐ yòng ní kuài zá nà xiē tóng xué
“我知道，你用泥块砸那些同学，
shì yīn wèi tā men qī fu nǚ shēng zhè shuō míng nǐ
是因为他们欺负女生。这说明你
hěn shàn liáng yǒu hé huài rén dòu zhēng de yǒng qì yīng
很善良，有和坏人斗争的勇气，应
gāi biǎo yáng
该表扬！”

nán shēng tīng le kū zhe shuō táo xiào zhǎng
男生听了，哭着说：“陶校长，
wǒ cuò le tóng xué men zuò de zài bú duì wǒ yě
我错了！同学们做得再不对，我也
bù gāi yòng ní kuài zá rén táo xíng zhī xiào le
不该用泥块砸人。”陶行知笑了，
tā ná chu dì sì kē táng shuō nǐ yǐ jīng rèn shi
他拿出第四颗糖，说：“你已经认识
dào zì jǐ de cuò wù le zài gěi nǐ yì kē táng
到自己的错误了，再给你一颗糖。”

1 陶行知在美国哥伦比亚大学读过书，回到中国后，他想让所有没机会受教育的人都能上学读书，不管是大人还是小孩儿。他亲自编写识字课本，还在乡村办起了教师学校。

2 有一天在学校，他看见一个男生正准备用泥块砸同学，他大喊一声："住手！"这个男生回头一看，心想：不好了！被校长发现了！

3 看到校长生气的样子，这个男生很害怕。陶行知对他说："放学后到校长室来见我！"

4 放学后，这个男生低着头站在校长室门前，心想：校长一定会骂我的！过了一会儿，陶行知走过来，拿出一颗糖，笑着说："这是给你的，因为你按时来了，但是我迟到了。"男生吃惊地接过糖，心里不那么害怕了。

5 陶行知又拿出第二颗糖，放在男生手里："这也是给你的，因为我不让你砸人，你马上就住手了。"男生更加吃惊地看着陶行知，不知道说什么好。

6 陶行知又拿出第三颗糖，说："我知道，你用泥块砸那些同学，是因为他们欺负女生。这说明你很善良，有和坏人斗争的勇气，应该表扬！"

7 男生听了，哭着说："陶校长，我错了！同学们做得再不对，我也不该用泥块砸人。"陶行知笑了，他拿出第四颗糖，说："你已经认识到自己的错误了，再给你一颗糖。"

校长室
看图讲故事